KALTES BLUT

Von Roland Dittrich

Illustriert von Patrick Rosche

KALTES BLUT
Roland Dittrich
mit Illustrationen von Patrick Rosche

Redaktion: Kerstin Reisz
Layout und technische Umsetzung: zweiband.media, Berlin
Umschlaggestaltung: Cornelsen Verlag Design

Bildquellen
S. 38: © Wikipedia, Creative Commons, Diliff
S. 38: © Wikipedia, Creative Commons, Rainer Zenz
S. 38: © fotolia (RF), Günter Menzl
S. 38: © Wikipedia, Creative Commons, Lukáš Hron
S. 39: © fotolia (RF), Christa Eder
S. 39: © Wikipedia, Creative Commons, Nicholas Even
S. 39: © Wikipedia, Creative Commons, Bernd Haynold

www.lextra.de
www.cornelsen.de

1. Auflage, 2. Druck 2012

© 2011 Cornelsen Verlag, Berlin

Druck: H. Heenemann, Berlin

ISBN 978-3-589-01844-4

 Inhalt gedruckt auf säurefreiem Papier aus nachhaltiger Forstwirtschaft.

INHALT

Personen	4
Orte der Handlung	5
Kaltes Blut	7
Landeskunde	38
Übungen	40
Lösungen	47

Die beigelegte Audio-CD macht diesen Krimi auch zum vergnüglichen Hörerlebnis.
Sie können diese spannende Geschichte in Ihren CD-Spieler einlegen oder über einen MP3-Player zu Hause, bei einer Auto-, Zug- oder Busfahrt anhören und genießen.

PERSONEN

Kevin Strack, 17 Jahre
Schüler der 11. Klasse an einem
Gymnasium in München,
Hobbys: Snowboardfahren und Boxen

Sebastian Schreiber, 17 Jahre
Kurzform „Basti", Schüler in der gleichen
Klasse wie Kevin,
Hobbys: Skifahren und Klavier

Julia Moshammer, 17 Jahre
Mitschülerin von Sebastian und Kevin,
Hobbys: Jazztanz und Skifahren

Stefanie Strack, 24 Jahre
Schwester von Kevin,
Angestellte in einem Reisebüro in Garmisch

Markus Berg, 28 Jahre
Detektiv und freier Journalist

Dr. Elisabeth Aumann, 32 Jahre
Kurzform „Lisa",
Detektivin

gemeinsame Detektei SIRIUS in Köln

ORTE DER HANDLUNG:
MÜNCHEN UND GARMISCH

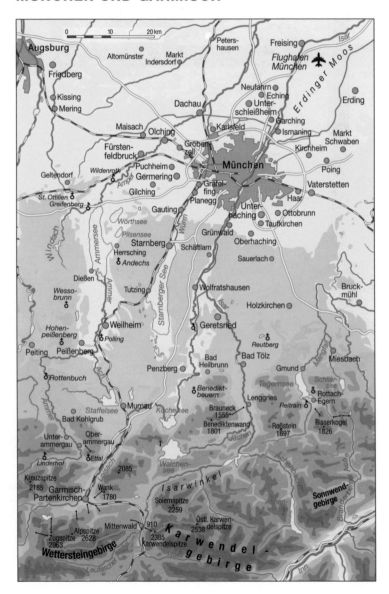

KAPITEL | 1

In München liegt Schnee. Über allem liegt er wie ein weißer Mantel – auf den Dächern, Straßen, Plätzen und auf den Bäumen. Die Menschen laufen durch den weichen Schnee und freuen sich.

5 In der elften Klasse im Ludwig-Thoma-Gymnasium warten die Schüler auf die letzte Stunde – Mathe!
Julia, eine Schülerin, steht am Fenster und schaut hinaus.
„Es schneit, Leute, es schneit wieder!", ruft sie in die Klasse.
Sie liebt den Schnee.
10 Sebastian, ein anderer Schüler, kommt zu ihr: „Toller Schnee! Gut zum Skifahren!"
Kevin, ein dritter Schüler, ist sofort da: „Hey, Julia, fahren wir zusammen in die Berge, in den Schnee – gleich am Samstag?"
15 Julia sagt nichts und geht zurück, an die Seite von Sebastian.
Kevin kommt näher. Er ist der Größte von allen, und jeder weiß, er ist der Stärkste in der Klasse.
Julia und Sebastian – das versteht er nicht und das gefällt ihm nicht: „Basti, lass Julia in Ruhe, okay?"
20 „Warum denn? Was soll denn das?" Sebastian hat keine Angst.
„Noch einmal: Hände weg von ihr! Julia, komm her!"
In diesem Moment geht die Tür auf und die Lehrerin, Frau Konrad, kommt herein: „Was ist denn das für ein Lärm!
25 Hinsetzen und Ruhe bitte!"

6 Mathe: Kurzform für das Schulfach Mathematik
15 an die Seite: neben
24 der Lärm: es ist sehr laut

Da sagt Kevin noch schnell zu Sebastian: „Warte, nach der Schule sprechen wir uns noch ...“

Dann beginnt der Unterricht, aber Sebastian und Kevin sind mit ihren Gedanken weit weg.

5 Kevin Strack weiß, was er will. Er fühlt, er ist stark, stärker als die anderen. Aber mit der Schule, da hat er Probleme ...
Zu Hause ist er oft allein. Sein Vater lebt nicht mehr, seine Mutter arbeitet oft bis spät abends. Und seine Schwester? Die ist in Garmisch, in einem Reisebüro.

10 Wie so oft muss er an seinen Vater denken, und das macht ihn traurig. Er sieht Sebastian an und kalte Wut kommt in ihm hoch: Warum ich und nicht er?

4 der Gedanke: was man denkt
11 die Wut: jemand ist sehr böse

„Kevin, Ihre Hausaufgaben bitte! Hallo!" Die Lehrerin reißt ihn aus seinen Gedanken – einige Schüler lachen.

Vor Kevin sitzt Sebastian, ein ganz anderer Junge: schlank, Brille, große Augen – und hübsch, wie Julia findet. Er schaut
5 hinaus. Der frische, weiße Schnee und bald Ski fahren, davon träumt er.

„Sebastian, kommen Sie bitte an die Tafel und schreiben Sie die Lösung auf! Sebastian, bitte!"

Die Lehrerin ist ungeduldig: „Was ist denn heute los? Schla-
10 fen denn alle? War gestern eine Party?"

Julia steht auf: „Frau Konrad, ich mache das." Und sie geht nach vorn und schreibt alles korrekt auf. Dann kommt sie zurück und mit den Augen sagt ihr Sebastian: „Danke, das war toll!"

15 Julia Moshammer hat nur ein kleines Problem: Sie ist ein fröhliches, hübsches, sportliches Mädchen und alle Jungen aus der Klasse wollen sie als Freundin. Da ist Kevin, der will sie dauernd anbaggern. Er ist ein toller Junge, aber sie mag ihn nicht.

20 Da ist noch Max, ein prima Freund, aber mehr ist da nicht. Aber Basti, den mag sie: Er ist ein super Typ und sehr lieb. In Gedanken ist sie mit ihm zusammen und …

Da ist der Schulgong! Die Schule ist zu Ende.

Beim Hinausgehen drückt Kevin plötzlich Sebastian an die
25 Wand und sagt leise und böse zu ihm: „Du, ich kriege dich noch!"

---

1 reißen: plötzlich und schnell ziehen

18 anbaggern: *Jugendsprache:* Kontakt suchen

23 der Schulgong: lauter, harmonischer Ton als Signal für Anfang, Pause oder Ende

Im Detektivbüro SIRIUS in Köln sind Elisabeth Aumann und Markus Berg gleich mit ihrer Arbeit fertig. Die Sonne scheint zum Fenster herein, und die beiden haben gute Laune.

5 München, Garmisch – wie schön!, denkt Markus und sieht dabei sehr zufrieden aus.

„So, heute ist unser letzter Tag. Und morgen geht's in unseren Winterurlaub – endlich!" Er räumt noch die letzten Papiere auf.

10 „Ja, ich freue mich auch", sagt Elisabeth zufrieden. „Im Internet und auf dem Anrufbeantworter ist unsere Nachricht: ‚Urlaub vom 1. bis 15. Februar.' Und jetzt ist Schluss!"

„Morgen früh geht's nach München und dann in den Schnee! Und du, Lisa, fliegst wirklich nach London?"

4 gute Laune: positive Gefühle

„Ja, das wird sehr schön – alte Freunde treffen, ins Theater gehen, neue Ausstellungen besuchen …"

„Und der Londoner Nebel? Sag mal, warum kommst du nicht mit nach Bayern?", fragt Markus.

5 „Ach, du weißt doch: Winter ist nicht meine liebste Jahreszeit. Und Skifahren kann ich auch nicht."

„Das kann man doch lernen!" Markus ist Skifahrer und weiß Bescheid.

„Nein, das ist nichts für mich. Aber du bist doch auch in 10 München, nicht nur auf der Piste?", fragt Elisabeth.

„Na klar, ich treffe meinen Freund Peter. Endlich sehen wir uns wieder."

„Ah, dieser Peter Bachmeier. Der hat doch auch eine Detektei, nicht?"

15 „Richtig, eine sehr große. Aber beruflich mache ich dort nichts."

„Wer weiß? Vielleicht doch?" Elisabeth kennt ihren Partner ziemlich gut.

Dann verabschieden sie sich.

20 „Schönen Urlaub, Lisa!"

„Wünsche ich dir auch. Und komm gesund zurück!"

*

Am nächsten Tag kommt Markus in München an und fährt direkt zu seinem Freund, Peter Bachmeier.

„Willkommen in München, willkommen bei uns!" Peter 25 und seine Frau begrüßen ihn herzlich.

Da klingelt Peters Handy. Es ist etwas Wichtiges. Er entschuldigt sich und geht schnell in sein Arbeitszimmer.

8 weiß Bescheid: kennt das genau
10 die Piste: breiter Weg am Berg zum Skifahren

KAPITEL | 3

Eine Gruppe von acht Schülerinnen und Schülern steht vor
der Schule, im Schnee. Gerade ist die Schule aus.

„Gehen wir am Samstag zum Skifahren oder nicht?", fragt
Julia die Freunde. „Morgen ist schon Freitag."

5 „Na klar, das haben wir doch seit zwei Wochen geplant",
antwortet Sebastian.

„Soso, und wie kommen wir hin, nach Garmisch?" Kevin
kommt nach vorn.

Für Max Brugger ist das klar: „Wie letztes Mal, oder? Wir
10 fahren wieder mit dem Kleinbus von deiner Schwester."

„Okay, ich kann mit ihr reden. Morgen sage ich euch
Bescheid." Kevin fühlt, er ist der Boss.

„Aber nur Skifahren – das ist doch langweilig! Snowboar-
den ist stark, super – sonst nichts. Oder sind das hier alles
15 Skifahrer?"

„Angeber", sagt Sebastian leise, dann lauter: „Du bist also
der super Snowboarder … Was kannst du denn sonst noch?"
Sebastian stört, wie Kevin den Macho spielt.

„Willst du das wissen? Wirklich? Okay!" Kevin stellt sich
20 vor Sebastian auf. „Na los: Box mich!"

„Warum soll ich?"

„Basti, sei kein Feigling. Komm schon!"

Da spielt Sebastian mit, geht auf Kevin zu und boxt ihn.
In einer Sekunde liegt Sebastian unten, im Schnee.

16 der Angeber: er sagt und zeigt allen, wie stark er ist
18 der Macho: er spielt den starken Mann
20 boxen: mit der Faust jemand schlagen
22 der Feigling: er hat Angst, keinen Mut

„Na, siehst du, Boxen ist mein zweites Hobby."
Julia ist sofort bei Sebastian: „Ist dir was passiert? Steh auf,
das ist doch nur ein Spiel ..."
Sebastian sagt ein böses Wort zu Kevin, das niemand versteht,
5 und will weggehen.
Julia hält ihn fest: „Halt! Bleib da!"
Max gefällt das alles nicht: „Kevin, lass den Schmarren!
Schluss jetzt! Wir gehen Samstag zum Skifahren, alle zusam-
men. Ist das klar?"
10 Alle stimmen zu. Dann gehen sie weg, einer nach dem
anderen.
Nur Kevin, Julia und Sebastian bleiben zurück.
Julia will Frieden: „Hört mal, ihr beiden, jetzt ist es genug,
oder?"

7 Schmarren: *bayerisch:* Quatsch!/Blödsinn!
10 zustimmen: zu etwas Ja sagen
13 der Frieden: kein Streit, kein Konflikt

„Nein!", sagt Kevin deutlich. „Wir werden sehen, wer die Nummer eins ist – auf der Piste!"

„Wenn du meinst – mir ist das egal." Und Sebastian geht mit Julia zusammen weg.

5 Kevin bleibt allein zurück.

*

Bei Stefanie Strack in Garmisch klingelt das Telefon.

„Strack, hallo!"

„Steffi, ich bin's, Kevin."

„Was gibt's Neues?"

10 „Du, ich rufe an wegen dem Ski-Wochenende."

„Ja, war ja auch Zeit." Stefanie ist unzufrieden.

„Also, wie beim letzten Mal? Du kommst am Samstag nach München, mit dem Kleinbus, und bringst uns dann nach Garmisch? Hast du unsere Zimmer in der Pension ‚Edel-
15 weiß' reserviert?"

„Ja. Aber, Kevin, nächstes Mal müssen wir früher darüber reden. So geht das nicht mehr."

„Ist klar, aber ich habe gerade Stress."

„Den hast du doch immer – wieder mit der Schule?" Stefa-
20 nie kennt ihren Bruder.

„Das auch, aber dieser Sebastian nervt mich, und da ist noch Max, dieser Max Brugger …"

„Der schon wieder!"

„Ja, wenn es Probleme gibt, dann sagt er oft: ‚Kevin, du bist
25 ja auch nicht von hier' …"

„Was??"

---

14 die Pension: *hier:* kleines Hotel
14 das Edelweiß: weiße Blume in den Bergen

„Dann macht er weiter: ‚Du bist und bleibst a Preiß¹ – aus Hamm ...‘ und dann lacht er.“

„Kevin, das ist doch egal, bleib cool!“

„Okay, ich probier’s.“

5 „Jetzt aber: wie viele kommen mit?“

„Acht. Dieser Sebastian ist leider auch dabei!“

„Kevin, lass ihn doch in Ruhe.“

„Das kann ich nicht, du weißt schon, warum. Am liebsten möchte ich ihn ...“

10 „Halt! So nicht! Kevin, ich verstehe, das tut weh, okay, aber es ist vorbei. Verstehst du? Es ist vorbei.“

„Für mich nicht.“

„Kevin, mach keinen Fehler!“

---

1 a Preiß: *bayerisch:* ein Preuße, negativ für jemand aus Norddeutschland

„Darf ich vorstellen: Das ist mein Freund und Kollege Markus Berg, ein Top-Detektiv aus Köln!"

„Bitte nicht." Markus Berg mag die großen Worte von Peter Bachmeier nicht.

5 Dieser hat Freunde zum Abendessen eingeladen.

Die Gäste, Frau und Herr Schreiber, sind sofort sehr interessiert: „Sie sind also auch Detektiv, wie Peter?"

„Ja, und ein sehr guter", sagt Peter Bachmeier, „das war sogar in der Zeitung."

10 „Meine Kollegin und ich haben zusammen die Detektei SIRIUS in Köln", erklärt Markus, „und es gibt da schwere und leichte Fälle. Zurzeit läuft es gut, aber man muss auch manchmal Glück haben."

Die Schreibers, die Bachmeiers und Markus Berg freuen sich

15 über das gute Abendessen und hören dabei interessante und auch lustige Geschichten.

Markus ist zufrieden: „Endlich habe ich Urlaub. Ich bin jetzt privat hier."

„Das sagen sie alle", sagt Dr. Schreiber, „plötzlich gibt es ein

20 Problem und dann bin ich als Arzt sofort zur Stelle …"

„Aber hier gibt es doch keine Probleme, oder?"

„Doch, Herr Berg, es gibt ein Problem, ein sehr großes", beginnt Frau Schreiber sofort.

„Das gehört doch nicht hierher", sagt ihr Mann.

25 „Doch!", korrigiert ihn Bachmeier. „Erzählen Sie!"

„Also, unser Sohn, Sebastian, hat ein Problem: ein Schüler in seiner Klasse mobbt ihn."

---

12 der Fall: Aufgabe für Polizei und Detektive

27 mobben: eine Person in der Schule oder am Arbeitsplatz dauernd ärgern und schlecht machen

Und sie erzählt weiter: „Dieser Kevin Strack macht unserem Sohn das Leben schwer, ärgert ihn und bedroht ihn immer wieder."

„Und warum?", fragt Markus.
5 „Das wissen wir auch nicht. Vielleicht wegen Julia. Sie ist lieber mit Basti zusammen als mit Kevin." Frau Schreiber ist gut informiert.

„Das glaube ich nicht", sagt ihr Mann, „da ist noch etwas anderes. Letztes Jahr war diese Szene bei mir im Kranken-
10 haus, ein Streit mit Kevin – aber das bedeutet nichts."
Das weiß man nie, denkt Markus.

„Die beiden fahren auch noch zusammen nach Garmisch, zum Skifahren – jetzt am Wochenende!"
Frau Schreiber ist sehr aufgeregt.

2 bedrohen: will einer Person Angst machen
14 aufgeregt: sehr nervös

„Und was ist daran so schlimm?", fragt Bachmeier.

„Da kann doch ganz leicht was passieren! Ich habe kein gutes Gefühl …"

Plötzlich schweigen alle und sehen sich an.

5 Da hat Bachmeier eine Idee: „Markus, hör mal. Du fährst doch auch nach Garmisch und willst dort Ski fahren. Kannst du nicht vielleicht …?" Aber er sieht sofort: Das gefällt Markus nicht.

„Entschuldigung, ich weiß, du hast Urlaub …"

10 Markus denkt kurz nach, dann sagt er: „Naja, das macht nichts. Ich kann ja mal schauen. Das stört mich doch nicht beim Skifahren."

„Danke!" Frau Schreiber nimmt seine Hände: „Wir danken Ihnen sehr. Jetzt kann ich ruhig schlafen."

15 „Ich brauche aber noch einige Informationen, zum Beispiel wo die Freunde wohnen, und außerdem: Wie sehen sie aus, ich kenne sie doch nicht!"

Frau Schreiber sucht in ihrer Handtasche: „Da! Ich habe ein Foto, ein Gruppenfoto. Sehen Sie: Das ist Sebastian, das ist

20 Julia und rechts ist dieser Kevin – das Foto ist vom letzten Jahr, da war noch alles gut."

3 das Gefühl: was man fühlt

4 schweigen: nichts sagen

KAPITEL 5

Kevin wacht auf, mitten in der Nacht.
Er kann nicht schlafen, Bilder und Gedanken gehen ihm durch den Kopf. Es war vor einem Jahr, er sieht noch alles vor sich: Da kommt plötzlich ein Anruf am Samstagabend.
5 Sie haben seinen Vater gefunden – ein Unfall, ein Skiunfall. Er ist schwer verletzt und sie fliegen ihn nach München ins Unfallkrankenhaus!
Seine Mutter ist nicht zu Hause. Er fährt sofort ins Krankenhaus und findet ihn. Er sieht ihn auf einer Krankenliege –
10 Augen zu, still und am Kopf viel Blut.

Da kommt ein Arzt in Weiß, und er hört es noch: „Es tut uns leid, aber wir konnten nichts mehr tun."
Der sagte das einfach so! Kevin fühlt jetzt noch die Wut und die Trauer. Und er sieht noch das Blut – kaltes Blut.

9 die Krankenliege: damit fährt man jemand zur Operation
14 die Trauer: man ist traurig

*

Markus fährt in die Berge, auf der Autobahn München-
Garmisch. Er kommt sehr gut voran, es gibt nur einen
kleinen Stau. Beim Fahren sieht er rechts und links die
schöne Landschaft von Oberbayern: viele Hügel mit Bauern-
5 häusern, kleine Wälder, alles im Schnee. Und vorn kommen
die hohen weißen Berge, die Alpen, immer näher.

Jetzt ist er in Garmisch. Der genaue Name ist Garmisch-
Partenkirchen, und dieser gemütliche Ort liegt genau vor
einer Gruppe von großen Bergen.
10 Der höchste Berg ist die Zugspitze, der Berg daneben ist die
Alpspitze, und dort kann man sehr gut Ski fahren!
Zuerst bringt er sein Gepäck in die Pension „Edelweiß".
Dorthin kommen ja auch die Schüler. Schnell zieht er sich
um und nimmt seine Ski.

4 der Hügel: kleiner, nicht hoher Berg
8 gemütlich: an so einem Ort fühlt man sich wohl

Schon steht er an der Bergbahn zum Kreuzeck. Er fährt hinauf und kommt in der wunderbaren Winterlandschaft an.
Sofort fährt er hinunter, die Ski laufen gut und er kann gut
5 fahren – es ist der größte Spaß!
Wieder fährt er hinauf. Und dann passiert es.
Er fährt los, aber plötzlich fährt jemand hinter ihm her. Er schaut zurück und sieht einen Snowboardfahrer, ganz in Schwarz. Was macht der denn? Er kommt immer näher, er
10 fährt ganz nah an Markus vorbei – und da! – sie stoßen zusammen und liegen im Schnee.

Zum Glück ist nichts passiert. Markus steht auf, der Snowboarder steht auf und sagt: „Du Depp! Pass besser auf! Das nächste Mal geht's nicht so gut aus." Und dann ist er weg.
15 Markus prüft Beine und Arme: Bin ich verletzt, ist alles okay? – Glück gehabt!

1 die Bergbahn: eine Bahn oder ein Lift hinauf auf den Berg
10 zusammenstoßen: hart einer gegen den anderen
13 Depp: *bayerisch:* blöder, dummer Mensch

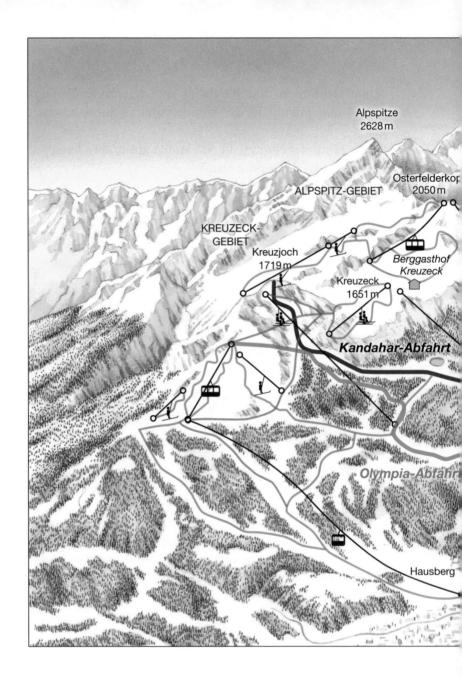

Zugspitze
2962 m

HÖLLENTALL

Waxenstein

Eibsee

Kreuzeck/
Alpspitze

Kandahar-Bar

Riessersee

Garmisch-Partenkirchen
707 m

▬▬▬ Kandahar-Abfahrt	*andere Pisten:*	▭▭ Seilbahnen
▬▬▬ Olympia-Abfahrt	─── leicht	
	─── mittelschwer	🚶 Skilifte und Sessellifte
	─── schwer	

KAPITEL 6

Garmisch, Pension „Edelweiß". Samstag, neun Uhr.
Markus Berg steht an der Ecke und wartet.
Sein Handy klingelt. Es ist Herr Schreiber:
„Herr Berg, sind Sie das? Gut. Also, ich möchte heute Abend
5 nach Garmisch kommen, Sebastian von der Pension abholen
– und morgen mit ihm zusammen Ski fahren. Das heißt,
wenn es geht, denn es gibt im Krankenhaus zurzeit sehr viel
Arbeit. Ich rufe auch meinen Sohn an. Also dann – Ihnen
noch viel Spaß und danke!"
10 Gerade kommt ein Kleinbus an. Er hält, junge Leute steigen
aus und gehen mit ihrem Gepäck in die Pension. Es sind die
Schüler!
Markus bleibt stehen, mit seinen Ski, und wartet. Aus der
Pension kommt als Erster ein junger Mann und holt sein
15 Snowboard aus dem Bus.
Markus sieht sofort: Das ist er, Kevin …
Er spricht ihn gleich an.

„Hey, das Snowboard sieht aber gut aus. Aber – ich fahre nur Ski, bis jetzt. Ist das besser – Snowboard fahren?"
Kevin sieht ihn überrascht an und versteht nicht: „Wieso? Das ist doch klar! Ski fahren, das ist doch was für Kinder
5 oder alte Leute."
„Aha. Aber Snowboard fahren ist wahrscheinlich schwerer, oder?", fragt Markus weiter.
„Ach, du kannst das sicher. Das sieht man, du bist doch fit."
Kevin findet Markus sympathisch.
10 „Ich bin der Markus. Und du?"
„Kevin, Kevin Strack aus München. Kommst du auch mit, nach oben aufs Kreuzeck?"
Kevin will jetzt los, denn die anderen kommen.
„Ja, Kevin, bis dann, vielleicht im Kreuzeck-Haus?"
15 Alle fahren zur Bergbahn, zur Kreuzeck-Bahn, und der schöne Ski-Tag kann beginnen.

*

Ein Ski-Paradies! Markus steht auf dem Kreuzeck, schaut auf die Berge und hinunter nach Garmisch. Was für eine Landschaft! Und diese tollen Pisten!
20 Aber jetzt ist Mittagspause. Markus kommt an, am Berggasthof „Kreuzeck". Da sind vielleicht auch die acht Freunde? Er geht in den Gasthof hinein. Hier ist es warm und gemütlich. Er sucht einen Platz, aber er findet keinen – es sind zu viele Leute da.
25 Da ruft jemand: „Hallo, Markus, komm zu uns, setz dich her!"

3 überrascht: etwas kommt für jemand plötzlich
12 das Kreuzeck: Berg unter der Alpspitze, mit Skipisten
17 das Ski-Paradies: das beste und schönste Skigebiet
20 der Berggasthof: einfaches Restaurant oben auf dem Berg

Kevin hat ihn gesehen. Die Freunde sitzen alle an einem Tisch und Markus setzt sich zu ihnen.

Er sieht Sebastian. Ein netter Junge, denkt er, nicht so stark, aber sympathisch!

5 Die Stimmung ist fröhlich, nur Sebastian schaut etwas müde. Kevin stellt die Gruppe vor: „Wir sind Schüler an einem Gymnasium in München und wir machen viel zusammen!"

„Und was machst du so?", fragt er.

„Ich bin Detektiv", antwortet Markus, und plötzlich sind

10 alle still.

„Detektiv? Gefährlich!", sagt Kevin sofort.

---

5 die Stimmung: wie man sich jetzt fühlt
7 das Gymnasium: höhere Schule bis zum Abschluss
   Abitur

„Nein, ich bin privat hier. Ich mache Urlaub." Markus gefällt diese Situation nicht.

„Dann ist ja alles klar! Prost!" Kevin und die anderen trinken auf Markus.

5 Jetzt essen sie alle, die bayerischen Spezialitäten sind besonders gut auf dem Kreuzeck-Haus.

Kevin ist gerade mit dem Essen fertig, da fragt er: „Was machen wir jetzt?" und schaut alle an, besonders Sebastian. Plötzlich ändert sich die Stimmung.

10 „Basti, machen wir was zusammen, mal etwas Besonderes?" Kevin hat eine Idee.

„Was denn? Wir fahren doch die ganze Zeit zusammen Ski." Sebastian versteht die Frage nicht.

„Du bist doch der tolle Skifahrer, besser als alle anderen und 15 besser als die Snowboarder wie ich ..."

„Nein, nein, lass das doch." Sebastian mag so etwas nicht.

Doch Kevin redet weiter: „Machen wir eine Wettfahrt, wir beide!"

Markus hört genau zu, er hat kein gutes Gefühl.

20 „Wieso?", fragt Sebastian.

„Wieso nicht? Fahren wir die Olympia-Abfahrt runter, ich mit dem Snowboard, du mit den Ski, und dann sehen wir, wer der Schnellste ist!"

„Ich weiß nicht." Sebastian findet die Idee nicht gut.

25 „Komm, mach mit! Oder hast du Angst?"

Wortlos stehen beide auf und gehen hinaus.

3 Prost: man wünscht alles Gute und trinkt darauf

17 die Wettfahrt: dabei sieht man: wer ist der Schnellste

21 die Olympia-Abfahrt: die Skipiste für die Olympiade

26 wortlos: nichts sagen

Oben am Kreuzjoch stehen Kevin und Sebastian. Hier beginnt die Kandahar-Abfahrt.

„Wollen wir die fahren? – ist eine schwarze Piste – oder die Olympia? – ist nur eine rote Piste ...“

5 „Ist mir egal“, antwortet Sebastian kühl.

„Also die Kandahar. Drei Fahrten, okay?“

Sebastian versteht nicht, warum dreimal: „Wenn du das brauchst, okay.“

„Also, dann los!“

*

10 Im Berggasthof sitzen noch alle am Tisch und sind überrascht.

„Warum sind die beiden so schnell weg?“ Julia steht auf.

„Fahren wir doch auch die Olympia, los!“

Markus zahlt schnell, geht hinaus und fährt los. Er muss die

15 beiden finden, denn er soll doch auf Sebastian aufpassen ...

Er will gerade die Olympia-Piste hinunterfahren, da ist auch schon Julia neben ihm und zwei andere: „Fahren wir, los!“

Und sie fahren die schwierige, aber interessante Piste hinunter, auf frischem Schnee, in der Sonne.

20 Aber Markus kann sich nicht freuen, denn er hat eine böse Ahnung.

Sie kommen unten an, aber da ist kein Sebastian und kein Kevin. Sie fahren die Piste noch einmal – wieder nichts.

---

2 die Kandahar-Abfahrt: Skipiste für internationale Wettfahrten

3/4 schwarze Piste: sehr schwer / rote Piste: leichter

20 eine böse Ahnung: man fühlt, da passiert etwas

Dann wird es langsam dunkel, und sie fahren hinunter nach Garmisch, zu ihrer Pension.

„Vielleicht sind beide schon unten, sitzen gemütlich im Lokal und trinken etwas", meint Julia, „und wir machen uns zu viele Gedanken ..."

*

Wieder stehen Kevin und Sebastian auf dem Kreuzjoch.

„So, das ist unsere dritte Fahrt", sagt Kevin ziemlich aggressiv, „zweimal hast du verloren, jetzt hast du noch eine Chance, die letzte Chance."

„Was redest du denn da", Sebastian fühlt, dass etwas nicht stimmt, „fahren wir zum Spaß oder nicht?"

„Jeder Spaß hat einmal ein Ende", sagt Kevin laut, „los jetzt!"

Kevin lässt Sebastian voraus fahren, bis dorthin, wo die Piste gefährlich wird.

Sebastian schaut zurück, er sieht Kevin nicht mehr, fährt langsamer und wartet dann.

Wo ist er denn, ist er schon vorbei? Nein, das ist unmöglich. Da hört er etwas hinter sich!

Mit großem Tempo kommt Kevin von oben, kommt näher – und fährt voll in Sebastian hinein.

Sebastian fliegt von der Piste in den Wald und gegen einen Baum. Da liegt er jetzt, im Schnee, beide Beine tun weh, er kann nicht aufstehen. Er blutet am Kopf und aus der Nase, und der Schnee wird rot vor Blut.

---

14 voraus: als Erster

21 voll: *hier:* ganz, direkt

21 hinein: *hier:* gegen den ganzen Körper

„Kevin", ruft er, „Kevin, hilf mir!"

Jetzt erst kommt Kevin näher.

„Na, Basti, liegst du gut? Hat sich der kleine Junge weh getan? Das tut mir aber leid."

5 Sebastian will aufstehen, aber es geht nicht – diese Schmerzen ...!

„Kevin, hilf mir!" Er bittet ihn noch einmal.

„Was sehe ich denn da? Blut – du blutest ja! Kaltes Blut im Schnee ..."

10 „Was schaust du – tu doch etwas!"

„Kaltes Blut, wie bei meinem Vater ..."

„Was erzählst du da?"

„Das weißt du doch, letztes Jahr ist es passiert. Und keiner hat ihm geholfen, auch nicht dein Vater. Jetzt bist du dran!"

Kevin ist voller Wut.

„Das ist doch Quatsch – warum denn ich?"

5 „Du bist zu dumm, verstehst nichts. Ich fahre jetzt runter – hilf dir selbst!" Und Kevin nimmt sein Snowboard.

„Dann hol doch bitte Hilfe!"

„Mal sehen", hört Sebastian noch, dann ist er allein.

Sebastian ruft „Hilfe!", „Hilfe!" immer wieder.

10 Aber die letzten Skifahrer sind abgefahren, es wird dunkel und kalt, und jetzt bekommt er Angst, große Angst.

---

2 dran sein: *hier:* jemand passiert das Gleiche

KAPITEL 8

Wo ist Sebastian?

Julia ist zusammen mit den anderen in der Pension.

Da kommt Markus herein: „Markus, haben Sie Basti gesehen?"

5 „Nein. Er wollte doch seinen Vater treffen, aber das war noch nicht sicher."

„Kevin ist auch nicht da", sagt eine Schülerin aus der Gruppe.

In diesem Moment kommt Kevin herein, voll Schnee.

10 „Hallo. Es schneit", sagt er nur und will in sein Zimmer gehen.

Aber Julia stellt sich vor ihn: „Stopp! Ihr seid doch zusammen gefahren und habt eine Wettfahrt gemacht, auf der Olympia-Piste. Wo ist Basti?"

15 „Keine Ahnung. Lass mich in Ruhe!" Er drückt sie zur Seite und geht.

Markus ruft Herrn Schreiber an und erschrickt, denn er musste in München bleiben.

„Herr Berg, ich erreiche meinen Sohn nicht. Können Sie ihm
20 bitte Bescheid sagen? Er kann in der Gruppe bleiben und am Sonntag zurückkommen. Ich danke Ihnen."

„Sebastian ist nicht mit seinem Vater zusammen", sagt Markus leise, aber alle hören es.

„Was ist denn hier los?", fragt Stefanie Strack. Die Schwes-
25 ter von Kevin kommt gerade herein.

---

15 keine Ahnung: er weiß es nicht oder will nichts sagen

17 erschrickt ← erschrecken: einen plötzlichen Schock bekommen

Julia schreit sie an: „Was los ist?? Wir warten auf Sebastian, verstehst du? Er war mit Kevin zusammen und ist nicht zurückgekommen. Vielleicht ist was passiert …“

„Na na, man muss nicht an das Schlimmste denken. Viel-
5 leicht sitzt er jetzt in einem Lokal und trinkt etwas, zum Beispiel in der Kandahar-Bar …“, antwortet Stefanie kühl.

„Wir schauen mal nach.“ Sie holt Kevin.

„Moment“, sagt Markus schnell, „ich gehe mit.“

*

In der Kandahar-Bar ist Sebastian nicht, das sieht man
10 sofort.

„Setzen wir uns. Kevin, ich möchte mit dir reden, okay?“

Markus hat das Gefühl, Kevin weiß mehr.

„Warum? Was ist los?“ Kevin will nicht reden.

„Du bleibst jetzt hier und antwortest, klar?“ Stefanie ist
15 jetzt hart zu ihm.

„So ein Stress. Was wollen Sie denn wissen, Herr Detektiv?“

Markus fragt jetzt sehr direkt: „Wo seid ihr gefahren, bei eurer Wettfahrt?“

„Wir wollten die Olympia …“
20 „Kevin! Nicht was ihr wolltet – welche Piste seid ihr gefahren?“ Stefanie will es genau wissen.

„Naja, die Kandahar – dreimal.“

„Deshalb haben wir euch nicht gesehen, auf der Olympia-Piste!“ Jetzt ist es Markus klar.
25 „Und weiter: Was war da los, zum Beispiel am Ende, bei der dritten Fahrt?“ Markus hat eine Ahnung.

Kevin schweigt.

„Kevin! Mach deinen Mund auf!“ Stefanie ist jetzt sehr laut.

Die anderen Gäste schauen schon.

1 anschreien: sehr laut zu jemand sprechen

Er hält sich die Hände vors Gesicht und sagt dann langsam:
„Ich musste immer an Vater denken, an seinen Unfall. Da
war plötzlich Basti vor mir, und da bin ich in ihn hinein-
gefahren. Nur ein Unfall ..."
5 „Und dann? Du bist einfach runtergefahren, du hast ihm
nicht geholfen?" Stefanie kann es nicht glauben.
Das ist kriminell, denkt Markus, fragt aber schnell: „Sebastian liegt also noch oben, ohne Hilfe?"
„Keine Ahnung! – wahrscheinlich ..."
10 Markus steht schnell auf: „Ich rufe die Bergwacht an, das
muss jetzt schnell gehen. Halt, Kevin, du kommst mit und
zeigst die Stelle!"
Jetzt hilft Kevin endlich.

7 kriminell: gegen Gesetz und Moral
10 die Bergwacht: rettet in den Bergen Verletzte und Menschen
   in Not

KAPITEL 9

Große Rettung am Kreuzeck!
Mit Lampen suchen die Männer von der Bergwacht nach
Sebastian – auf der Kandahar-Piste und im Wald. Kevin zeigt
ihnen die Stelle: „Ich glaube, da war es, da habe ich ihn
5 zuletzt gesehen. Und ich bin weitergefahren. Das war schon
gemein von mir …"
„Da ist etwas!" Markus sieht einen Ski im Schnee.
Sie finden Sebastian, und er lebt noch!
Vorsichtig legen ihn die Männer auf den Rettungsschlitten
10 und bringen ihn nach unten.

Von Garmisch aus fliegt ihn ein Hubschrauber ins Unfallkrankenhaus nach München.

1 die Rettung: Hilfe in einer gefährlichen Situation
6 gemein: moralisch schlecht gegen einen anderen
9 der Rettungsschlitten: damit bringt man Verletzte nach unten
11 der Hubschrauber: Typ Flugzeug, Helikopter

Am Krankenbett von Sebastian danken die Eltern Markus
Berg für seine Hilfe.

„Ja, das ist noch einmal gut gegangen, und ich bin sehr froh
darüber", sagt Markus und fühlt sich müde.

5 Sebastian macht die Augen auf: „Markus, danke! Ich bin
bald wieder fit."

Da klopft es an der Tür. Dr. Schreiber geht hinaus und steht
vor Kevin. Schnell schließt er die Tür.

„Was machst du denn hier? Hast du nicht genug kaputt

10 gemacht? Sebastian ist fast gestorben!"

„Wie mein Vater, Herr Doktor, wie mein Vater!"

„Was redest du da?" Dr. Schreiber versteht nicht.

„Haben Sie Sebastian operiert? Und alles ist natürlich gut
gegangen – anders als bei meinem Vater!" Wieder ist er

15 wütend.

„Kevin, ich operiere hier nicht, und ich weiß auch nichts
von deinem Vater. Es tut mir wirklich leid."

Kevin sieht ihn an: „Wirklich? Ich sehe ihn noch – voll Blut,
kaltes Blut …"

20 Aber er versteht jetzt: Es war nicht Dr. Schreiber. Und Basti
hat auch nichts damit zu tun.

Kevin fühlt sich schwach und müde: „Ich möchte Basti besuchen, bitte!"

„Nein, lieber nicht. Du kannst ihm ja eine E-Mail oder eine

25 SMS schreiben. Was hast du da?"

„Das ist ein Geschenk für Basti. Sagen Sie ihm, ich entschuldige mich." Dann geht er.

13 operieren: Arbeit am verletzten oder kranken Körper
15 wütend: starkes Gefühl von Wut

„Sebastian, da ist etwas für dich, von Kevin. Und er entschuldigt sich", sagt sein Vater.

„Nein, von dem will ich nichts, auch keine Entschuldigung!"

5 Dann öffnet Sebastian doch das Geschenk. Es ist ein Buch:

TRAINING SNOWBOARD

Da muss Sebastian lachen: „Ist Kevin nicht verrückt?"

*

Elisabeth Aumann ruft Markus Berg an: „Hallo, Partner, wie geht's? Ist alles in Ordnung?"

10 Da erzählt ihr Markus alles: „Was Kevin gemacht hat, war natürlich kriminell, aber die Schreibers haben ihn nicht angezeigt. Das Wichtigste: Sebastian geht es wieder gut. So, Lisa, bis bald in Köln!"

*

Kevin bekommt einen Anruf: „Hallo, hier ist Max, Max

15 Brugger. Du bist ja nicht mehr bei uns in der Schule. Aber ist egal. Warum kommst du nicht mal zu uns zum Eishockey-Training? So einen starken Typ wie du, so einen Bazi, brauchen wir in unserem Team!"

Ende

12 anzeigen: die Polizei informieren
17 der Bazi: *bayerisch*: intelligenter und etwas unmoralischer Mann

LANDESKUNDE MÜNCHEN

Teil A
München
München ist die Hauptstadt von
Bayern. Die berühmte Frauenkirche
steht in der Nähe vom Marienplatz.

Teil B

Bayerische Spezialitäten
In Münchner Gasthäusern gibt
es etwas Traditionelles: ein Paar
Weißwürste, eine Brezel, dazu
süßen Senf und ein Bier.

Teil C
Deutsches Museum
Es ist das größte Museum für Naturwissenschaften und
Technik: Man kann Raumfahrt und Sterne erleben, durch Berg-
werke und Schiffe gehen und selbst Experimente in Physik und
Chemie machen.

Teil D
Olympiapark
Im Olympiapark kann man Sport treiben, und es gibt dort einen
großen See. Der größte Münchner Park ist aber der Englische
Garten.

LANDESKUNDE **GARMISCH**

Teil A

Zugspitze und Alpspitze
Die Zugspitze ist mit 2962 m der höchste Berg in Deutschland und liegt oberhalb von Garmisch-Partenkirchen. Der Berg daneben ist die Alpspitze mit einem schönen Skigebiet.

Teil B

Garmisch – ein Wintersportort
Garmisch ist ein moderner Skiort, aber auch ein gemütliches Dorf mit bunt bemalten Häusern.

Teil C

Wintersport in Garmisch
Garmisch ist eine Olympiastadt, mit Skispringen und alpinen Weltmeisterschaften auf der berühmten Kandahar-Abfahrt oder auf der Olympia-Abfahrt.

Teil D

Das Edelweiß
Das Edelweiß ist eine Blume. Es wächst hoch auf den Bergen und ist ein Symbol für das Alpenland.

ÜBUNGEN

Kapitel 1

Ü1 In welcher Jahreszeit spielt die Geschichte?
Im _Winter_ .

Ü2 Welches Hobby haben Sebastian und Julia gemeinsam?
Schifahren .

Ü3 Warum ist Kevin so aggressiv?
a. Weil Sebastian ein besserer Schüler ist als er.
b. Weil Julia lieber mit Sebastian zusammen ist als mit ihm.
c. Weil Julia in die Berge fahren will.

Ü4 Wie ist die Situation von Kevin?
1. Zu Hause ist oft niemand. ☑
2. Er hat keine Freunde. ☐
3. Er hat keinen Vater mehr. ☑
4. Seine Schwester ist nicht in München. ☑

Ü5 Wen mag Julia (+), wen mag sie sehr (++)
und wen nicht (–)?
Max ☐
Kevin ☐
Sebastian ☐

Kapitel 2

Ü1 Wo arbeiten Elisabeth Aumann und Markus Berg?
In einem _Detektei Büro_ .

Ü2 Elisabeth und Markus freuen sich, denn ...
Was steht im Text?
1. Es ist der letzte Arbeitstag.   ☑
2. Sie fahren zusammen nach München.   ❏
3. Sie haben bald Urlaub.   ☑
4. Sie wollen zusammen Ski fahren.   ❏

Ü3 Was will Elisabeth im Urlaub machen und was Markus?
Kreuzen Sie an.

	Elisabeth	Markus
1. nach München fahren	❏	☑
2. nach London fliegen	☑	❏
3. zu einem Freund fahren	❏	☑
4. alte Freunde treffen	☑	❏
5. die Londoner Kultur erleben	☑	❏
6. in Bayern Ski fahren	❏	☑

Kapitel 3

Ü1 Was haben die Schulfreunde geplant? Ergänzen Sie.
Sie wollen zum Skifahren nach _München_
fahren, mit dem _Stmenbus_ von Kevins Schwester.

Ü2 „Morgen sage ich euch Bescheid." Was meint Kevin damit?

a. Morgen ist meine Antwort „Ja".

b. Morgen informiere ich euch.

c. Morgen sage ich euch „warum".

Ü3 Was passiert bei dem Streit zwischen Sebastian und Kevin? Wie ist die richtige Reihenfolge?

a. Sofort liegt Sebastian im Schnee. ☐ 6

b. Kevin sagt etwas, was Sebastian ärgert. ☐ 1

c. Max macht Schluss mit dem Streit. ☐ 5

d. Sebastian soll Kevin boxen. ☐ 2

e. Julia kümmert sich um Sebastian. ☐ 4

f. Kevin boxt Sebastian sofort zurück. ☐ 3

Ü4 Was ist für Stefanie wichtig (+), was unwichtig (–)? Was glauben Sie?

1. Ich hole euch mit dem Bus ab. ☐

2. Die Zimmer im „Edelweiß" sind reserviert. ☐

3. Lass diesen Sebastian in Ruhe! ☐

4. Es ist doch egal, was Max zu dir sagt. ☐

5. Das mit unserem Vater, das ist doch vorbei! ☐

6. Kevin, mach keinen Fehler! ☐

Kapitel 4

Ü1 Warum mobbt Kevin Sebastian? Was meinen die Eltern von Sebastian?

1. Julia mag Sebastian lieber als Kevin. ☐

2. Sebastian ist in der Schule besser als Kevin. ☐

3. Im Krankenhaus gab es einen Streit zwischen Kevin und Dr. Schreiber. ☐

4. Sebastian findet Snowboard fahren nicht gut. ☐

Ü2 **Frau Schreiber hat Angst um ihren Sohn. Ergänzen Sie.**
In der Gruppe mit Kevin kann leicht etwas ....
Aber Markus kann beim Skifahren auf Sebastian
aufpassen, das .... ihn nicht.

Kapitel 5

Ü1 **Woran denkt Kevin immer wieder und was macht ihn traurig und wütend? Ergänzen Sie.**
Plötzlich kommt ein .... aus dem
Unfallkrankenhaus: Sein Vater hatte einen
.... und ist schwer ....
Er sieht seinen Vater und alles ist voll .... !
Da kommt ein Arzt und sagt, sie konnten nichts mehr
.... Und dieser Arzt war der .... von
Sebastian.

Ü2 **Markus übernachtet im gleichen Haus wie die Schüler, in der Pension**
....

Kapitel 6

Ü1 **Markus und Kevin lernen sich kennen. Wer sagt was? Kreuzen Sie an.**

	Markus	Kevin
1. Das Snowboard sieht aber gut aus.	❏	❏
2. Skifahren ist nur für Kinder und alte Leute.	❏	❏
3. Snowboard fahren ist schwer, oder?	❏	❏
4. Kommst du auch aufs Kreuzeck?	❏	❏
5. Bis dann, vielleicht im Kreuzeck-Haus.	❏	❏

Ü2   Wer sitzt im Kreuzeck-Haus am Tisch?

Kevin, _____ .

Ü3   Warum will Kevin eine Wettfahrt machen?

Er will wissen, wer der _____ ist.

Kapitel 7

Ü1   Kevin und Sebastian fahren nicht die Olympia-Abfahrt,

sondern die _Kinder - Abfahrt_ .

Ü2   Die Wettfahrt und das böse Ende. Ergänzen Sie die Wörter aus dem Kasten.

> Angst, ~~Blut~~, ~~dritte~~, ~~fliegt~~, gefährlichen, hilf, Hilfe, ~~letzte~~, passiert, ~~verletzt~~

Szene 1

Zweimal sind sie hinuntergefahren, und jetzt will Kevin die *dritte* Fahrt. Sebastian hat dann die _letzte_ Chance.

Szene 2

An einer _gefährlichen_ Stelle wartet Sebastian auf Kevin. Da fährt Kevin plötzlich voll in ihn hinein und Sebastian _fliegt_ von der Piste in den Wald und gegen einen Baum.

Szene 3

Sebastian liegt im Schnee und ist _verletzt_ .
Sein Kopf ist voller _Blut_ .

Szene 4

Er ruft Kevin um _Hilfe_ . Aber Kevin sagt nur:
„Das Gleiche ist meinem Vater _passiert_ ,
hilf dir selbst!"

Szene 5

Sebastian bleibt allein und hat große _Angst_ .

Kapitel 8

Ü1   Stefanie und Markus sprechen mit Kevin. Wer sagt was?

	Stefanie	Markus	Kevin
1. Ich möchte mit dir reden.	❏	❏	❏
2. Welche Piste seid ihr gefahren?	❏	❏	❏
3. Und weiter: Was war da los?	❏	❏	❏
4. Ich bin in Basti hineingefahren.	❏	❏	❏
5. Ich musste immer an Vater denken.	❏	❏	❏
6. Du hast ihm nicht geholfen?	❏	❏	❏
7. Sebastian liegt also noch oben?	❏	❏	❏
8. Du kommst mit und zeigst die Stelle!	❏	❏	❏

Ü2   Wen ruft Markus sofort zur Hilfe?

Die _____ .

Kapitel 9

Ü1 **Dr. Schreiber und Kevin reden miteinander. Was steht im Text? Kreuzen Sie an.**
1. Sebastian ist fast gestorben! ❑
2. Ich bin kein Arzt. ❑
3. Ich weiß nichts von deinem Vater. ❑
4. Ich entschuldige mich! ❑

Ü2 **Markus erzählt Elisabeth alles. Ergänzen Sie.**
Das war _____ , aber die Schreibers haben ihn nicht _____ . Das _____ :
Sebastian geht es wieder gut.

Kapitel 1–9

Ü1 **Kevin hat etwas Schlimmes getan, denn er war wütend auf Dr. Schreiber. Können Sie das verstehen?** +5 Setze
Ja / ~~Nein~~ / (Vielleicht) _____

Ü2 **Was macht Kevin jetzt? Was denken Sie?** 3-4 Setze
a. Er ist ein guter Eishockeyspieler.
b. Er arbeitet bei seiner Schwester im Reisebüro.
c. Er geht jetzt in Hamm in die Schule.
d. _____ .

I Kann verstehen Kevin haben angst
mit Alle Arzt aber Ich kann nicht
verstehen Kevin bestrafin Basu für dass.

Kevin ist ehe gutr fishocky spilar
und dass much Sicher gluckhch. Er spechen

46

LÖSUNGEN

Kapitel 1
Ü1 Winter
Ü2 Skifahren
Ü3 b
Ü4 1, 3, 4
Ü5 Max: +, Kevin: –, Sebastian: ++

Kapitel 2
Ü1 Detektivbüro
Ü2 1, 3
Ü3 Elisabeth: 2, 4, 5
       Markus: 1, 3, 6

Kapitel 3
Ü1 Garmisch, Kleinbus
Ü2 b
Ü3 a 4, c 6, d 2, e 5, f 3
Ü4 *Ihre Meinung*

Kapitel 4
Ü1 1, 3
Ü2 passieren, stört

Kapitel 5
Ü1 Anruf, (Ski-)Unfall, verletzt,
       Blut, tun, Vater
Ü2 Edelweiß

Kapitel 6
Ü1 Markus: 1, 3, 5
       Kevin: 2, 4
Ü2 Sebastian, Julia, Max
       und Markus
Ü3 Schnellste

Kapitel 7
Ü1 Kandahar-Abfahrt
Ü2 letzte, gefährlichen, fliegt,
       verletzt, Blut, Hilfe, passiert,
       hilf, Angst

Kapitel 8
Ü1 Stefanie: 2, 6
       Markus: 1, 3, 7, 8
       Kevin: 4, 5
Ü2 Bergwacht

Kapitel 9
Ü1 1, 3, 4
Ü2 kriminell, angezeigt, Wichtigste

Kapitel 1–9
Ü1 *Ihre Meinung*
Ü2 *Ihre Idee*

mit Busti und Sie ist ok.
Kenn geht zu Schule wieder.

Track	Titel
1	Nutzerhinweise, Copyright
2	Personen
3	Kapitel 1
4	Kapitel 2
5	Kapitel 3
6	Kapitel 4
7	Kapitel 5
8	Kapitel 6
9	Kapitel 7
10	Kapitel 8
11	Kapitel 9

KALTES BLUT

HEIMLICHE RACHE IN GARMISCH

Gelesen von Benjamin Plath

Regie:	Kerstin Reisz
	Christian Schmitz
Toningenieur:	Francisco Camufingo
Studio:	Clarity Studio Berlin